© 1977 by Mercedes Llimona.
© 1982 by Editions des Deux Coqs d'Or, Paris,
pour l'édition française.
ISBN 2-7192-0307-6
Edition originale ISBN 84-7183-092-2, Hymsa, Barcelona.
Titre original : *Juegos y canciones*.

Comptines
et chansons

Illustrations de Mercedes Llimona

DEUX COQS D'OR

SOMMAIRE

Dodo, l'enfant do 8

Colin, mon p'tit frère 9

Les petites marionnettes 10

Celui-là 11

Sur mon baudet 12

Lapinou 13

Limaçon 14

Au clair de la lune 15

Un, deux, un, deux, trois ... 16

Gouttes, gouttelettes 17

Cache-cache 18

Picoti picota 19

Dansons la capucine 20

Nous irons au bois 22

Am stram gram 23

Le chat et la souris 24

Sur le pont d'Avignon 25

A...E...I...O...U... 26

Gentille alouette 27

Mon âne est malade 28

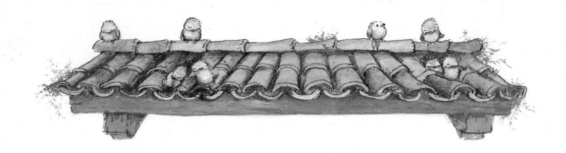

DODO L'ENFANT DO

Dodo l'enfant do
L'enfant dormira bien vite.
Dodo l'enfant do
L'enfant dormira bientôt.

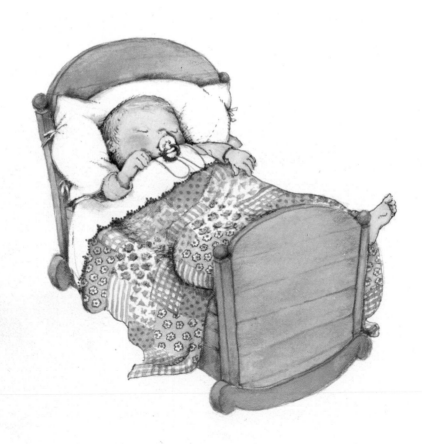

COLIN
MON P'TIT FRERE

Maman est en haut
Qui fait du gâteau
Papa est en bas
Qui fait du chocolat.

Fais dodo
Colin mon p'tit frère
Fais dodo
T'auras du gâteau.

LES PETITES MARIONNETTES

Ainsi font, font, font
Les petites marionnettes
Ainsi font, font, font
Trois petits tours
Et puis s'en vont.

CELUI-LA...

Celui-là l'a vu.
Celui-là l'a attrapé.
Celui-ci l'a fait cuire.
Celui-ci l'a mangé.
Et le pauvre petit n'a rien eu du tout !

SUR MON BAUDET

A dada sur mon baudet
Quand il trotte, il fait des pets
Prout, prout, prout cadet !

LAPINOU

Lapinou, tu es doux.
Lapinou, tu es fou.
Rentre dans ton trou !

LIMAÇON

«Bonjour, Limaçon !
Où vas-tu avec ta maison ?»

AU CLAIR DE LA LUNE

Au clair de la lune, mon ami Pierrot,
Prête-moi ta plume pour écrire un mot.
Ma chandelle est morte, je n'ai plus de feu,
Ouvre-moi ta porte pour l'amour de Dieu !

UN DEUX,

UN DEUX TROIS...

Talon-pointe, talon-pointe, talon...

On revient en arrière
Et on change de cavalière !

GOUTTES,
GOUTTELETTES

Gouttes, gouttelettes
De pluie, mes cheveux
Se mouillent...
Gouttes, gouttelettes
De pluie, mon parapluie
Aussi...

CACHE-CACHE

Topi, topons,
Topons-là !
La taupe est tapie,
Nous aussi !

18

PICOTI PICOTA

Une poule sur un mur
Qui picorait du pain dur,
Picoti, picota...

Pond un œuf,
Pond deux œufs,
Pond trois œufs,
Pond quatre œufs,
Pond cinq œufs,
Pond six œufs,
Pond sept œufs,
Pond huit œufs,
Pond neuf œufs,

Pond dix œufs et puis s'en va,
Picoti, picota...

19

DANSONS LA CAPUCINE

Dansons la capucine,
Y'a pas de pain chez nous,
Y'en a chez la voisine,
Mais ce n'est pas pour nous...
Y'ou les petits cailloux !

NOUS IRONS
AU BOIS

Un, deux, trois,
Nous irons au bois.
Quatre, cinq, six
Cueillir des cerises,

Sept, huit, neuf,
Dans un panier neuf.
Dix, onze, douze,
Elles seront toutes rouges.

AM STRAM GRAM

Am stram gram
Pic et pic
Et colégram
Bour et bour
Et ratatam
Am stram gram !

23

LE CHAT ET LA SOURIS

«Oui, oui,
Je suis la petite souris.
Et toi le gros matou,
Je ne t'aime pas du tout.
Oui, oui,
Je suis la petite souris
Et toi le gros chat-chat,
Tu ne m'attraperas pas.»

SUR LE PONT
D'AVIGNON

Sur le pont
D'Avignon,
On y danse,
On y danse,
Sur le pont
D'Avignon,
On y danse
Tout en rond.

25

A... Petit Jean est un bêta ! 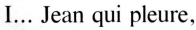 E... Il est encore à la queue.

I... Jean qui pleure, Jean qui rit.

O... Bobo, dodo, zéro. U... Ane bâté... Ane battu !

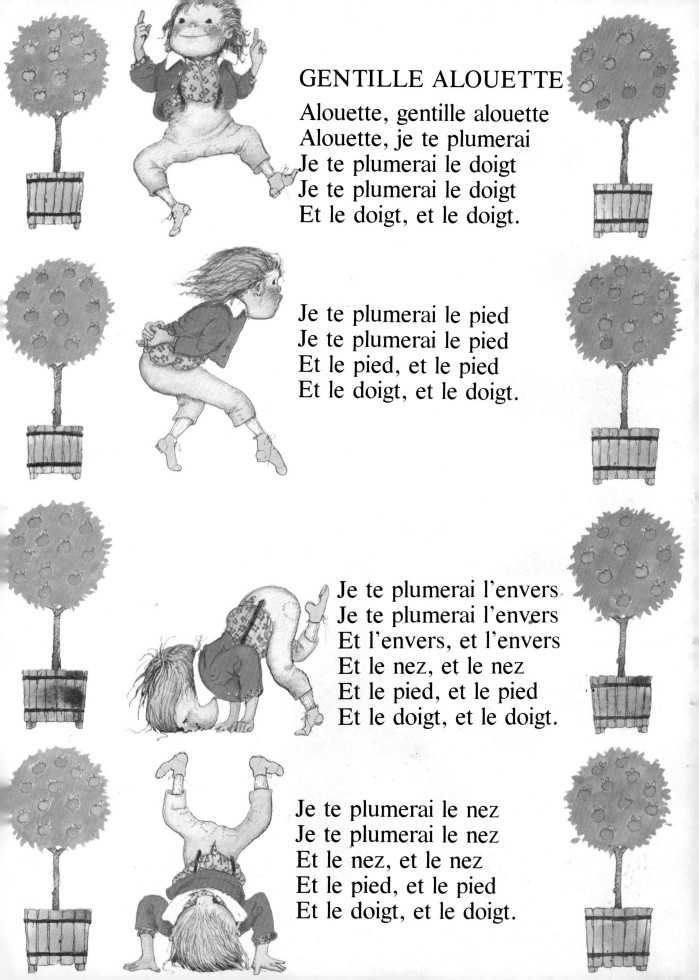

GENTILLE ALOUETTE

Alouette, gentille alouette
Alouette, je te plumerai
Je te plumerai le doigt
Je te plumerai le doigt
Et le doigt, et le doigt.

Je te plumerai le pied
Je te plumerai le pied
Et le pied, et le pied
Et le doigt, et le doigt.

Je te plumerai l'envers
Je te plumerai l'envers
Et l'envers, et l'envers
Et le nez, et le nez
Et le pied, et le pied
Et le doigt, et le doigt.

Je te plumerai le nez
Je te plumerai le nez
Et le nez, et le nez
Et le pied, et le pied
Et le doigt, et le doigt.

MON ANE EST MALADE

Mon âne, mon âne,
A bien mal à la tête.
Madame lui a fait faire
Un bonnet pour sa tête.

Mon âne, mon âne,
A bien mal au pied.
Madame lui a fait faire,
Un édredon pour ses pieds.

DANS LA COLLECTION CONTES, HISTOIRES

Contes d'Andersen
Contes de Grimm, tomes 1 et 2
Contes de Perrault, tomes 1 et 2
Shakespeare : contes merveilleux
Fables de La Fontaine
Les plus beaux contes de fées
Les plus beaux contes d'Andersen
Les meilleurs contes d'animaux
Histoires merveilleuses
Les contes de madame Hérisson
Madame Hérisson cherche une maison
La grande parade des métiers (W. Disney)
La grande parade des sports (W. Disney)
Raconte-moi une histoire par jour
Le jardin de madame Hérisson
Le Noël de madame Hérisson
Le vilain petit canard
La folle aventure de Davy Crockett
La folle aventure de Robin des Bois
La folle aventure des Trois Mousquetaires
La folle aventure d'un Ecumeur de mer
Belles histoires d'autrefois
Tic tac ! Quelle heure est-il ?
Le printemps de Félicie
Comptines et chansons
Jeux et refrains

Loi n° 49-956 du 16 juillet 1949 sur les publications destinées à la Jeunesse
Dépôt légal septembre 1982 - Deux Coqs d'Or éditeur - N° 1-7807-12-81 -
Imprimé en Italie (1)